Redactie:	Larry Iburg en Saskia Rossi
Omslagontwerp:	Erik de Bruin, www.varwigdesign.com
	Hengelo
Druk:	Koninklijke Wöhrmann
	Zutphen

ISBN 90-76968-43-8

© 2004 Uitgeverij Ellessy
Postbus 30227
6803 AE Arnhem
www.ellessy.nl

WWW
wij willen weten
Yono Severs

Politie

Deel 6

Y2004320306

ELLESSY

Inhoudsopgave

Gemeenteveldwachter (1907)

Inleiding

Tot de toptien van onderwerpen voor spreekbeurten en werkstukken behoort de politie, een grote groep mannen en vrouwen die zich bezighoudt met veiligheid en hulpverlening. Dat wil zeggen dat de politie niet alleen inbraken en moorden oplost en slechteriken vangt, maar ook dat zij mensen helpt: verdwaalde kinderen naar huis brengen, waarschuwen voor mogelijk gevaar (afbrekende boomtakken, zakkenrollers) en het kalmeren van verkeersslachtoffers, om maar een paar voorbeelden te noemen. Dus ook al zou iedereen zich altijd aan de regels houden, dan zou er toch nog politie nodig zijn.

Dit boekje gaat niet alleen over waarom er politie is, maar ook over hoe de politie in elkaar zit. Wel eens gehoord van hiërarchie? Rangen en onderscheidingstekens? Weet je aan welke voorwaarden je moet voldoen om een politieopleiding te mogen volgen? Welke agent mag op een motor rijden of in een helikopter vliegen? Wie deelt straf uit als je de wet hebt overtreden? Wat moet je doen als je ziet dat iets faliekant mis is? Op deze en nog veel meer vragen geeft dit boekje antwoord.

De schrijfster

1. Hoe het zo gekomen is (Geschiedenis)

Je hebt vast wel eens zin om iets kapot te maken of om iemand een mep te verkopen. Een pesterig moment, waarop je lelijke plannetjes uitdenkt om iemand eens flink dwars te zitten. Of om iets te vernielen. Maar meestal houd je je in, omdat de gedachte op zich al genoeg is. Of je laat het erbij zitten omdat je geen zin hebt in de reacties op je boze daad. Want wie zich niet inhoudt, wie dus de regels aan zijn laars lapt, moet de gevolgen van zijn daden dragen: mensen die zonder rekening te houden met hun omgeving maar doen waar zijzelf zin in hebben, krijgen geheid een keer bonje. En wie heeft er nou zin in bonje?

Om bonje te voorkomen is het onder andere nodig om duidelijke afspraken te maken. Daarnaast is er controle nodig op het naleven van die afspraken, omdat mensen zich er anders niet aan houden. Dat is niets nieuws, dat is altijd al zo geweest.

Heel vroeger waren het *wachters* die de regels vaststelden en ervoor zorgden dat de mensen zich eraan hielden. Tegenwoordig noemen wij die mensen *politie*.

Van wachters naar politieagenten is een lange reis door de tijd.

De Middeleeuwen

In de 15^e eeuw bouwden de mensen muren om hun stad om de inwoners te beschermen tegen gevaar van buitenaf. Op die muren hielden *poorters* of *poortwachters* de wacht. Deze poorters of poortwachters hielden goed in de gaten wie en wat de stad binnenkwam. Alleen mensen die een goede indruk maakten mochten naar binnen, onbetrouwbare personen werden weggejaagd.

Binnen de stadsmuren zorgden de *schutterijen* of *vendels* ervoor dat de burgers in orde, rust en veiligheid konden leven. Schutterijen werden gevormd uit mannelijke burgers tussen 18 en

60 jaar. Iedere man was verplicht om te dienen en moest zijn eigen uitrusting betalen. Dat hield in dat een man van zijn eigen geld wapens en een uniform moest kopen.

Toen begon de adel zich met de veiligheid van het volk te bemoeien. Wie dat wilde kon zich bij de graaf aanmelden voor de functie van *schout* of *schepen*. Je moest dan wel bewijzen dat je wist wat je te wachten stond: schout en schepenen waren niet geliefd, omdat ze regels maakten en ervoor zorgden dat mensen zich daaraan hielden en het ging er in die tijd nogal ruw aan toe. Verdachten werden bijvoorbeeld door marteling tot een verklaring gedwongen: ze moesten eindeloos veel water of olie drinken, ze werden met behulp van een houten rad uitgerekt (radbraken) of met stokken en zwepen geslagen (geselen). Ook de straffen die de veroordeelden kregen, waren wreed: er werden lichaamsdelen afgehakt (verminking), veroordeelden kregen met een gloeiendheet ijzer een merk (brandmerk) in hun huid gebrand waardoor voortaan iedereen kon zien dat hij een dief was of een rover. Boeven werden opgehangen (galg) of levend verbrand (brandstapel).
De straffen werden ter waarschuwing en afschrikking in het openbaar uitgevoerd, op een veld net buiten de stadsmuren. Wie daar een misdadiger in een schandblok (met hoofd en handen vastgeklemd tussen twee dikke houten balken) zag staan, begreep dat hij op zijn tellen moest passen: met het gezag in deze stad viel niet te spotten!

Omdat schout en schepenen niet al het werk zelf af konden, stelden ze *onderschouten* aan: *boden,* die beschuldigde mensen opspoorden en ze voor het gerecht sleepten en *rakkers,* die door de stad liepen om de boel in de gaten te houden. (Rakker betekent beulsknecht, hulpje van degene die de straf uitvoert. 'Racken' betekent schoonmaken, bij elkaar vegen.) De rakkers waren gewapend en zijn het beste te vergelijken met de huidige politie-agenten.

Naast boden en rakkers was er de *nachtwacht*, die dienst had als de meeste mensen lagen te slapen: van de vroege avond tot de vroege ochtend. De nachtwacht droeg geen uniform, maar liep ter herkenning met een ratel of klapper, waarmee hij tegelijk boeven afschrikte. Alleen tijdens een 'stille ronde' gebruikte hij zijn ratel of klapper niet.

Ook was er iemand die vanaf een kerktoren de omgeving in de gaten hield: de *torenwacht*. Hij moest opletten of er geen brand uitbrak, iets wat in die dagen makkelijk gebeurde, omdat de meeste huizen rieten daken hadden die makkelijk vlam vatten. Pijp roken op straat was dan ook ten strengste verboden!

Als er toch brand was, hing de brandwacht een lamp aan de toren waarop de *hoornwachter* een signaal liet horen. Iedereen pakte zijn emmer en trok erop uit om het vuur te doven: in die tijd waren er nog geen brandslangen en moesten de mensen een rij maken om elkaar het water in emmers door te geven. De laatste in de rij gooide de emmer leeg in de brandhaard.

Stad en platteland

De situatie in de stad en op het platteland was, zoals nu nog steeds, heel verschillend.

Binnen de stadsmuren had je de schout en zijn schepenen, daarbuiten waakten de *landschapssoldaten*, die misdadigers moesten oppakken en ongelovigen verdrijven en de *roededragers*, die een bepaald gebied vrij moesten houden van zwervers, bedelaars, vagebonden en ander onguur volk.

De roededrager of *kerspelsoldaat* hoefde zijn uniform niet zelf te betalen, hij kreeg het van de bevolking door wie hij ook werd betaald (*soldij*). Vanaf het moment dat de roede (een strak samengebonden bundel takken) niet genoeg bleek om kwaad volk af te schrikken, moest de roededrager zelf voor een geweer zorgen.

De Franse overheersing

Tussen 1796 en 1813 veranderde er het een en ander:

- In 1796 ontstond in Nederland naar Frans model de police generale of *landelijke gendarmerie* (Korps Koninklijke Gendarmerie), die de smokkelhandel moest bestrijden. Daarnaast moest zij overlast en geweld verhinderen. Naast de landelijke gendarmerie werd de *stedelijke gendarmerie* (police municipale) opgericht en de *plattelandspolitie* (police rurale) met *veld-* en *boswachters* (gardes champêtres en gardes forestiers). Over het algemeen werd de gendarmerie zo slecht betaald dat zij er baantjes bij moest nemen. Dan was de gendarme ook sneeuwruimer, bordeelhouder, asophaler, broodbakker, postbesteller of dorpsomroeper.
- In 1798 werd in de grondwet vastgelegd dat de gemeente zelf geen regels meer mocht maken.

Vanaf die tijd moest iedereen in het land zich namelijk aan dezelfde regels houden, regels die beschreven stonden in het Burgerlijk Wetboek en het Wetboek van Strafrecht.

Inrichting van de gemeentepolitie

De *gemeentewet* van 1851 bepaalde dat voortaan de burgemeester de baas was over de politiemacht binnen zijn gemeente.

Buiten de gemeentegrenzen had lager uitvoerend personeel zoals *rijksveldwachters* en *opzieners der jacht en visserij* het voor het zeggen. Omdat deze mensen niets voor hun politiewerk betaald kregen, hadden ze er baantjes naast en waren ze bijvoorbeeld ook schoolmeester, schoenmaker, klokkenluider, koster of voorzanger. Omdat hij zoveel aan zijn hoofd had, deed menig wachter zijn werk niet zoals het hoorde. Wachters in die tijd waren lomp, kwamen niet of te laat en arresteerden onschuldige mensen. Als de politie tegenwoordig zoiets doet kun je als burger een klacht indienen; toen kon dat nog niet.

Rijksrechercheur

In 1897 werd bij de *rijksveldwacht* de functie van *rijksrechercheur* ingesteld. De rijksrechercheur was iemand die de boel goed onderzocht. Hij beet zich vast in grote moeilijke zaken zoals moord en rustte niet voor hij deze had opgelost.

Opleidingen

Naarmate er meer *wetten, verordeningen* en *besluiten* kwamen, was het niet langer voldoende als een politieman zijn eigen naam kon schrijven; er moest een opleiding komen.
In 1919 richtte de *Algemene Nederlandse Politie Bond* de *Modelpolitievakschool* op.
Om daarop te worden toegelaten, moest je aan bepaalde eisen voldoen, met andere woorden: er vond een selectie plaats.
De opleiding tot agent of gemeenteveldwachter duurde een jaar.
De aanstaande politiemensen kregen onder andere les in wetskennis en schieten.

Het Politie Besluit van 1945

Omdat in iedere gemeente de politie maar zo'n beetje z'n eigen gang ging en voor zichzelf werkte, was de politiemacht nogal versnipperd. Dat werkte niet echt lekker. Het werd weer eens tijd om meer structuur aan te brengen en nieuwe afspraken te maken die de samenwerking ten goede zouden komen. Men ging rond de tafel zitten en kwam in 1945 tot het *Politie Besluit.* Dit hield in dat in door de Kroon (de regering) aan te wijzen gemeenten *Gemeentepolitie* aanwezig zou zijn; in de overige gemeenten zou de politiedienst worden verricht door het *Korps Rijkspolitie,* dat onder leiding kwam te staan van de *minister van Justitie.*

Nu

Op 1 april 1994 vond er opnieuw een grootscheepse reorganisatie van het Nederlandse politieapparaat plaats om een beter overzicht te krijgen en een betere samenwerking tot stand te brengen. Uit een warwinkel van 140 plaatselijke korpsen (Gemeentepolitie) en 17 plattelandsdistricten (Rijkspolitie) werd een *landelijk coöperatief concern* (samenwerkend bedrijf) samengesteld: 25 regiokorpsen en 1 landelijk korps (het *Korps Landelijke Politie Diensten*). Hierover lees je meer in het volgende hoofdstuk: Hoe het politieapparaat in elkaar zit (Organisatie).

Uniformering en bewapening

In de vijftiende eeuw droegen de gezagsdragers (wachters, schouten en schepenen) veelal geen uniform. Zij waren te herkennen aan hun *stok* of *sabel* (zijdgeweer). In de zeventiende eeuw werd hier en daar een begin gemaakt met de invoering van een uniform: een nette jas met een opstaande kraag, een overjas met een mouwvest, een lakense pantalon met bies, een ronde vilten hoed of een pet van laken met een zilverplaatje met het stadswapen of het woord 'politie' erop. Pas sinds de oprichting van de Koninklijke Marechaussee in 1814 is er sprake van een politie-'uniform' in de letterlijke betekenis van het woord: 'gelijke kleding voor een bepaalde categorie personen, met name militairen.' (De Koninklijke Marechaussee was inderdaad op militaire leest geschoeid: het personeel leefde in kazernes.)

De moderne politieagent draagt een uniform en krijgt verschillende wapens, die hij/zij echter niet zomaar mag gebruiken. Om ongelukken en misbruik te voorkomen is ieder politieel wapengebruik aan strakke regels gebonden.

Vervoer

De eerste wetsdienaren konden hun werk makkelijk *te voet* af, maar naarmate de tijden veranderden en de misdrijven ernstiger en groter werden, bleek het steeds meer nodig om zich sneller te verplaatsen.

De Koninklijke Marechaussee werkte vanaf het begin met *paarden*. Aan het einde van de negentiende eeuw startten grote steden zoals Amsterdam en Rotterdam met hun eigen *bereden brigade*, in sommige kleinere gemeenten had men *veldwachters te paard*. Na het paard deed het *dienstrijwiel* zijn intrede.

Toen in de tweede helft van de negentiende eeuw politietoezicht op het water nodig bleek (rivier- en havenpolitie) bleek er behoefte aan *politievaartuigen* te zijn. Dat waren aanvankelijk *roeiboten*, die na verloop van tijd werden vervangen door *zeilschouwen* en *zeilhengsten*. Nog weer later werden er *sleepboten* ingezet. In 1905 maakte men voor het eerst gebruik van een *motorboot*.

De verkeerspolitie verplaatste zich per *motorfiets*, eventueel met *zijspan* en later per *dienstauto*.

Tegenwoordig is het nodig om *helikopters* in te zetten, omdat je vanuit de lucht een goed overzicht hebt op wat er op het land gebeurt.

In de grote steden (Amsterdam, Den Haag, Rotterdam, Utrecht) zie je soms politie op *mountain bikes* of op *skates*, handige vervoermiddelen vanwege de snelheid en de wendbaarheid.

Vrouwen bij de politie

Toen in Rotterdam in 1911 naar aanleiding van het aannemen van de Wet ter Bestrijding van Zedeloosheid een afdeling *zeden- en kinderpolitie* werd opgericht, deed de eerste *vrouwelijke politiebeambte* (politieassistente) haar intrede. Haar voornaamste taak was het beschermen van minderjarigen. Zij hielp hen en gaf goede raad.

2. Hoe het politieapparaat in elkaar zit (Organisatie)

Rust en veiligheid

De regering (politiek) schrijft in de grondwet voor hoe de politie zich moet gedragen. In de *Politiewet* staat dat de politie ervoor moet zorgen dat mensen rustig en veilig kunnen leven, naast en met elkaar, in de wijk, de stad of de regio (een bepaald gebied). Je kunt de politietaken opdelen in:
1. hulpverlenen,
2. preventie (voorkomen dat er iets misgaat),
3. handhaven van orde en rust,
4. het oplossen van misdrijven en het opsporen van daders.

Dit alles tezamen noemen we politiezorg. Om het werk goed te verdelen zijn er verschillende afdelingen; iedere afdeling voert een stukje van de totale politietaak uit.

Voor de politie gaat het er niet om zoveel mogelijk bekeuringen uit te delen, maar om de mensen duidelijk te maken dat en waarom er regels zijn.

Het politiebedrijf

Ons land is opgedeeld in 25 gebieden of regio's met ieder een eigen *politiekorps*.

De minister van Binnenlandse Zaken bepaalt hoeveel mensen er in zo'n regionaal politiekorps werken (politiesterkte). Dit kan verschillen van 100 tot meer dan 4.500 ambtenaren, een aantal dat afhankelijk is van het aantal inwoners en het aantal misdaden dat wordt gepleegd (criminaliteit).

De regio's zijn verdeeld in *districten* (gebieden).

De districten zijn verdeeld in *basiseenheden* (wijken en buurten), waar teams van zowel gewone als speciale politieagenten werken (*rechercheurs* en/of *geleiders van honden bij de hondenbrigade*, mensen bij de *jeugdpolitie,* de *zeden-, vreemdelingen-* en/of *verkeerspolitie*).

Niet op ieder politiebureau werken evenveel mensen, de personeelssterkte kan verschillen van rond de 30 tot meer dan 100 agenten. Deze bezetting is afhankelijk van de hoeveelheid hulp en zorg die nodig is voor het gebied waarin het betreffende bureau staat.

De 25 regiokorpsen worden ondersteund door het *Korps Landelijke Politie Diensten (KLPD),* ook wel het 26^e korps genoemd. Dit korps levert recherchekennis, maakt misdaadanalyses en regelt wat dwars door de verschillende regio's heen loopt: autosnelwegen, spoorwegen en rivieren. Dit gebeurt veelal vanuit de lucht, per helikopter.

Het KLPD zorgt ook voor de bescherming van de Koningin en andere belangrijke personen zoals diplomaten. Zij leidt politiehonden op en haar *divisie logistiek* koopt voor alle agenten in het hele land voertuigen, apparatuur, wapens, petten en uniformen in.

De politie werkt onder leiding van de *officier van justitie.* Hij stippelt samen met de hoofdcommissaris en de burgemeester het beleid (hoe er wordt gewerkt) uit.

Rangen en petten

Welke rang een politiefunctionaris heeft, zie je op zijn schouders (onderscheidingstekens op zijn epaulet) en op de klep van zijn pet:

De *aspirant* heeft één streep op zijn epaulet, de *surveillant* heeft er twee, de *agent* drie en de *hoofdagent* vier. Op hun petklep zie je het embleem van de politie.

Brigadiers hebben een epaulet met een stedenkroon, *inspecteurs* hebben een rijkskroon, *hoofdinspecteurs* hebben een rijkskroon met een balk eronder, een *commissaris* heeft een rijkskroon met een tak eronder, de *hoofdcommissaris* heeft een rijkskroon boven

aspirant surveillant

politiepet met embleem

agent hoofdagent

brigadier

commissaris

pet van de hoofdcommissaris

gekruiste zwaarden boven een tak. Op hun pet bevindt zich bij allen niet alleen het embleem: de inspecteur heeft ook een streep goudgalon op de klep van zijn pet, de hoofdinspecteur heeft een gouden borduursel van eikenbladeren. De commissaris heeft een rand van eikenbladeren met zes eikels, net als de hoofdcommissaris die er bovendien op de bovenrand nog twee geborduurde eikenbladeren bij heeft.

Uitrusting

Iedere politiebeambte draagt een uniform zodat iedereen weet dat hij van de politie is: aan de kleren kent men de man.

Leden van de ME *(mobiele eenheid)* dragen een blauwe overall, hoge zwarte laarzen, helm, lange wapenstok en gevlochten schild. Zij zijn te vinden bij voetbalwedstrijden, relletjes, opstootjes, bezettingen en ontruimingen, dus mogelijk gevaarlijke situaties waarbij grote mensenmassa's in het spel zijn. Want waar heel veel mensen samenkomen, gaat nou eenmaal bijna altijd iets mis.
Helm en schild bieden beide bescherming als de ME wordt bekogeld. De ME beschikt ter afschrikking over paarden en waterkanonnen; voor een paard of voor een keiharde waterstraal gaan de meeste mensen wel opzij. Soms maakt de ME gebruik van traangas, waar je ogen erg van gaan prikken en tranen. Om te voorkomen dat ze zelf last krijgen, dragen de leden van de ME dan gasmaskers.

Motoragenten dragen witte leren jassen. Wit, omdat dat in het verkeer een goed zichtbare, opvallende kleur is en leer, omdat dat een goede bescherming biedt tegen kou.

Een *politieagent* draagt een blauwe jas en op zijn hoofd een pet. Aan zijn pet en epaulet (schouderstuk op een uniform) kun je zien wat voor rang hij heeft. Hoe meer strepen, hoe hoger de rang. Over zijn jas draagt een politieagent een riem met wapens (wapenstok, spuitbus en Walther P5, een halfautomatisch pistool), handboeien en een portofoon. Een wapenstok is een elastische knuppel van rubber waar een agent hard mee kan slaan zonder iemand echt te verwonden. Een agent mag zijn wapenstok en spuitbus alleen gebruiken bij bedreiging; schieten mag alleen als er levens in gevaar zijn. Verder heeft een agent een bonboekje, een identificatiekaart en een fluitje bij zich.

Bij de *recherche* werken ze meestal zonder uniform. Dat doen ze om ongestoord onderzoek te kunnen doen. De recherche speurt onder andere naar inbrekers, moordenaars, verkrachters en drugshandelaren.

Specialisaties

Om alles van het politievak te weten is ondoenlijk. Vandaar dat politieagenten zich specialiseren op een bepaald gebied. Hier volgen enkele voorbeelden:

Havenpolitie vinden wij in Amsterdam en Rotterdam. Zij houdt een oogje in het zeil op en om boten: smokkel van goederen en/of mensen, diefstal, handel in verboden goederen (kernafval, uitheemse dieren, ivoor).

Hondenbrigade: mensen ruiken of ergens gerookt is of niet, maar dan houdt het al snel op. Honden ruiken veel meer, veertig keer beter dan mensen. Zelfs als het waait, zijn speurhonden (speciaal opgeleid en onder leiding van een vaste begeleider) in staat om geursporen te volgen. Zo'n hond snuffelt aan iets wat door de misdadiger is aangeraakt en zolang de dader niet in een auto is gestapt, leidt hij de rechercheur naar de dader.

De *luchtvaartpolitie* gaat zowel over lijnverkeer en sport- en zweefvliegers als over ballontochten en reclamevluchten. Dit in verband met toezicht op veiligheid, vervoer van gevaarlijke stoffen, geluidshinder, te laag vliegen, onzorgvuldig verspreiden van landbouwgif.

De *spoorwegpolitie* is naast politie tevens onderdeel van de Nederlandse Spoorwegen. Zij bewaakt het reilen en zeilen op stations en helpt het NS-personeel, bijvoorbeeld wanneer iemand veel ophef maakt als hij aangesproken wordt op het reizen zonder kaartje. Ook begeleidt de spoorwegpolitie transporten van en naar bijzondere gelegenheden zoals belangrijke voetbalwedstrijden, grootse discofestijnen, populaire popconcerten of de TT te Assen.

De *strandpolitie* let er onder andere op of zonnebaders niet over-verhit raken en met elkaar op de vuist gaan. Ze brengt verdwaal-de kinderen terug naar de ouders, waarschuwt mensen om bij vloed niet te ver de zee in te gaan, wijst erop dat je je afval niet in het zand mag gooien en dat daar prullenbakken voor zijn.

Tot de taken van de *verkeerspolitie* behoort het toezicht houden op het verkeer op onze snelwegen. Dragen mensen hun autogor-del wel, rijden ze niet te hard, alcoholcontrole, het reguleren van files, het waarschuwen van en voor spookrijders, registratie van aanrijdingen, het verspreiden van ramptoeristen die door onoplet-tendheid een nieuw ongeluk zouden kunnen veroorzaken.

De *water- of rivierpolitie* controleert onder andere vrachtschepen en waakt over de veiligheid van recreanten: hinderlijke water-scooterbestuurders op hun kop geven, waarschuwen als er storm op komst is. Verder bekijkt zij of schippers wel een vaarbewijs (rijbewijs voor waterverkeer) hebben en geen rommel overboord gooien en of waterskiërs medewatergebruikers niet hinderen.

Controle

Omdat agenten ook maar mensen zijn die fouten kunnen maken, is er ter controle de *rijksrecherche.* Zij doet onderzoek naar politie- en justitiemensen die verdacht worden van het plegen van strafbare feiten zoals bijvoorbeeld corruptie. Corrupt wil zeggen: omkoopbaar, oneerlijk. Voorbeelden daarvan: een agent luistert zonder toestemming van de officier van justitie iemands telefoon af of doorzoekt zijn huis, hij neemt in ruil voor vertrouwelijke informatie geld aan van een misdadiger (*steekpenningen*) of hij legt een valse verklaring af (*meineed*). Ook *discriminatie* (ongelijk of oneerlijk behandelen) of *ongeoorloofd gebruik van geweld* (iemand in elkaar slaan) zijn ernstige vergrijpen voor een politieagent die moeten worden onderzocht en waar nodig gestraft (schorsing, geldboete, gevangenisstraf.)

Totale sterkte

In totaal werken er op dit moment in Nederland ongeveer 52.390 mensen bij de politie, zowel autochtone als allochtone mannen en vrouwen. De politieleiding zou graag zien dat haar apparaat nog verder wordt uitgebreid, maar het is moeilijk om nieuwe mensen te werven. Dat komt niet alleen doordat het politiewerk hoge eisen stelt, maar ook door het beeld dat de mensen tegenwoordig van de politie hebben. Denk in dit verband eens terug aan de Middeleeuwen, de tijd van schout en de schepenen: zij waren weinig geliefd omdat ze ervoor moesten zorgen dat mensen zich aan de regels hielden. Ook nu is het weer zo dat mensen weinig respect voor politiewerk hebben, omdat ze willen doen waar ze zin in hebben en zich gehinderd voelen door al die regels waar ze zich aan moeten houden.

3. Taken

Politiewerk is geen kwestie van de kwaaie pier uithangen, maar van zorg verlenen.
Je kunt de politie zien als een soort bezemwagen van de samenleving: ze veegt de kneuzen op en zet ze op weg naar een betere manier van leven. Andere hulpverlenende instanties zoals RIAGG (Regionale Instelling Ambulante Geestelijke Gezondheidszorg), CAD (Centrum voor Alcohol en Drugs), Raad voor de Kinderbescherming en reclassering spelen een belangrijke ondersteunende rol bij het positief veranderen van de slechte oude levensstijl van de delinquent (bedrijver van een strafbaar feit) in een goede nieuwe.

Zaken waar een agent zich zoal mee bezig moet houden en iets vanaf moet weten:

1. Preventie
   - diefstal uit de auto
   - diefstal van de auto
   - fietsdiefstal
   - tips woningen (hang- en sluitwerk)
   - vakantietips (laat de post zich niet van buitenaf zichtbaar ophopen)
   - vandalisme (voorlichting op scholen)
   - controle op wapenbezit
   - waarschuwen voor zakkenrollen

2. Bestrijding van criminaliteit
   - m.b.t. computers (hackers)
   - seksueel misbruik
   - bedreiging

3. Verkeer
   - aanrijding

- alcoholcontrole (Bob)
- autogordels
- telefoneren in de auto (handsfree!)
- boetes
- bromfietshelm
- eisen aanhangwagens
- vervoer van dieren
- aan de regels houden
- gehandicapten
- rijbewijscontrole
- ouderenbegeleiding
- snelheidsbeperkingen
- bekeuringen uitschrijven

4. Jeugd
- verkeer en verkeersexamen
- arrestaticteam
- samenwerking met bureau HALT

5. Wetgeving
- Recht Wegverkeer
- beroepsvoorschriften politie
- bescherming persoonsgegevens
- drank- en horecawet
- flora- en faunawet
- grondwet
- jachtwet
- justitiële documentatie (berichtgeving met betrekking tot de rechterlijke macht)
- kentekenreglement
- optische- en geluidssignalen
- opiumwet
- politiewet
- invalidenparkeerkaart
- rijbewijzen

- verkeersregels en -tekens
- wegenverkeerswet
- autoverzekering
- Wetboek van Strafrecht en -vordering
- wet wapens en munitie

6. Verslaving
   - drugs zoals cocaïne, crack, hasjiesj, heroïne, LSD, poppers, speed, XTC
   - alcohol
   - gokken
   - lachgas
   - slaappillen
   - lijm

7. Milieuzaken
   - watervervuiling
   - illegale stort
   - bodemverontreiniging
   - luchtverontreiniging

Regels

In Nederland gelden heel veel regels. Een paar voorbeelden: winkels, restaurants, cafés en discotheken mogen maar bepaalde tijden geopend zijn (Horecawet), een café mag geen alcohol schenken aan kinderen onder de zestien, je hebt een vergunning nodig om op straat een kraampje neer te zetten om spulletjes te verkopen (behalve op Koninginnedag, dan mag het voor één keer zonder vergunning) of voor een straatfeest (daarmee blokkeer je de openbare weg waardoor er geen politie-, brandweer- of ziekenwagen doorheen kan). De politie controleert of mensen zich aan de regels houden. Met andere woorden: de politie doet haar best om ervoor te zorgen dat wetten worden nageleefd.

Surveillancedienst is basispolitiezorg

Aan zijn uniform kun je zien welke rang een agent heeft en voor welke afdeling hij werkt. Om erachter te komen of iemand zich niet heeft verkleed, maar echt bij de politie werkt, kun je om zijn *identificatiebewijs* vragen, een kaartje waarop naam en functie van de agent vermeld staan plus een pasfoto.

Tot de taken van de *gewone agenten* van de *basiseenheid* behoort het *surveilleren* (de boel in de gaten houden). Dit gebeurt 24 uur per dag. Zodoende draaien agenten soms nachtdiensten.

Het surveilleren gebeurt meestal met zijn tweeën, omdat je met z'n tweeën meer ziet en elkaar kunt steunen en helpen. Surveilleren werkt *preventief*: mensen houden zich eerder aan de regels als ze politie zien, niemand wil een bekeuring.

Het surveillancegedeelte vergt verreweg de meeste tijd van het totale politiewerk, omdat op straat de meeste hulp en zorg nodig is. Er wordt onder andere aandacht besteed aan fietsverlichting, snelheidscontrole, door rood licht rijden, sleutels die nog in het slot steken, zwerfvuil, burenruzies, geluidsoverlast, aanrijdingen - al dan niet met gewonden -, steekpartijen, inbraken, vandalisme, intimidatie (bang maken), drugs.

De nachtpatrouille komt zaken tegen als geluidsoverlast, buren-, café- en andere ruzies, inbraken, berovingen, het loos afgaan van inbraakalarmen (door katten bijvoorbeeld) en aanrijdingen.

Een politieagent ziet veel: verkeersovertredingen, de gevolgen van ongelukken, gevallen van verkrachting, vrouwenhandel en kindermishandeling, agressieve dronkemannen, opgewonden voetbalsupporters die met elkaar op de vuist gaan. Dit soort ervaringen zijn niet altijd even gemakkelijk te verwerken.

Een agent moet goed met mensen van allerlei leeftijden kunnen omgaan (van jonge kinderen tot en met bejaarden) én met mensen in allerlei gemoedstoestanden (van agressieve verslaafden en vloekende dronkelappen tot moordzuchtige echtgenoten).

Naast het feit dat een politieagent probeert om strafbare feiten te voorkomen (actieve dienst) doet hij ook bureauwerk (passieve dienst). Administratie, papierwerk: een groot deel van zijn dienst-tijd (ongeveer een derde van zijn totale werktijd) brengt de agent achter de computer door, onder andere voor het opmaken van pro-cessen-verbaal.

Organisatie op het politiebureau

Iedere afdeling heeft een *hoofdagent*.
Een *brigadier* begeleidt de agenten.
Een *inspecteur* verdeelt het werk (coördinatie).
De *commissaris* (of *korpschef*) is te vergelijken met de baas van een afdeling van een bedrijf.
De *hoofdcommissaris* is de hoogste baas, een soort directeur dus.

Speciale taken

De *kinderpolitie* houdt zich bezig met misdadige jongeren, dat wil zeggen kinderen tot 18 jaar.

De *mobiele eenheid* kan worden ingezet bij voetbalwedstrijden of om in bos, duin of weide naar sporen van een vermist kind te zoe-ken.
De ME probeert in de eerste plaats ongeregeldheden te voorko-men. Demonstraties, uitzettingen van krakers, voetbalwedstrijden in goede banen te leiden. Ontstaan er toch problemen, dan pro-beert de ME zo snel mogelijk de orde te herstellen. Desnoods met geweld.

De *recherche* pakt de georganiseerde misdaad aan. Zij verzamelt gegevens om te bewijzen dat iemand een ernstig strafbaar feit heeft gepleegd en probeert bendes op te rollen die zich schuldig maken aan vrouwen-, wapen- en drugshandel en -smokkel. Ook gaat haar aandacht uit naar milieuzaken (stiekeme lozingen) en het opsporen van seksueel misbruik (illegale video's). Waar nodig schaduwt de recherche mensen, maar vergis je niet: zo mooi en schijnbaar simpel als op de televisie gaat het er in werkelijkheid niet aan toe. Bankrovers, inbrekers, brandstichters (pyromanen), drugshandelaren en verkrachters gaan desnoods over lijken om niet gepakt te worden. Rechercheurs zijn meestal in burgerkleding. Zij verhoren getuigen (mensen die iets gezien of gehoord hebben dat met de zaak te maken heeft) of de verdachte (bekentenis afleggen).

De *technische recherche* of *opsporingsdienst* zoekt naar sporen zoals vingerafdrukken, haren, snot, stukjes kleding, verloren jasknopen, vergeten spullen (schroevendraaier), bandafdrukken, schoensmeer op stoelpoten, haarspeldjes, truipluis, een vergeten zakdoek, een koevoet, voetafdrukken. Dit gebeurt met behulp van het sporenonderzoekkoffertje vol kwastjes, poeders, stiften, mesjes, pasta's, folie, plakband en pincetten. Ook maakt de TR foto's en vingerafdrukken van verdachten.

De *vreemdelingenpolitie* richt zich op zaken die te maken hebben met en van belang zijn voor onze allochtone medeburgers. Zij controleert onder meer of buitenlanders al of niet legaal in Nederland wonen. Is dat laatste het geval dan kan de politie de betrokkene het land uitzetten (meestal per vliegtuig). Is de betrokkene legaal hier, dan zet de politie dat op papier (verblijfsvergunning).

De *zeden-* en *vrouwenpolitie* houden zich respectievelijk bezig met zaken als seksmisdrijven (prostitutie) en vrouwenzaken (criminele vrouwen).

Hulp

Omdat de politie niet alles alleen af kan, wordt soms de hulp van specialisten ingeroepen.

Beveiligingsbeambten zijn geen politiemensen, al helpen ze de politie wel. Ze controleren 's nachts bedrijven en winkels.

Een bijzondere bijstandseenheid politie (BBE) wordt bijeen geroepen als zich een grote ramp voordoet (overstroming, gijzeling, vliegramp, cafébrand, vuurwerkontploffing.)

De *parkeerpolitie* heet politie, ziet er zo uit en hoort erbij, maar heeft als enige bevoegdheid het bestraffen van parkeerovertredingen: auto's laten wegslepen, parkeermeters controleren, wielklemmen plaatsen en bonnen uitdelen bij overtredingen.

Een *rampenidentificatieteam* (RIT) wordt onder speciale omstandigheden gevormd. Als zich iets vreselijks heeft voorgedaan zoals een ontploffing, een grote brand of een ontzettend trein- of vliegtuigongeluk. Zo'n team bestaat uit mensen van landelijke en regionale politiekorpsen plus eventueel mensen van buitenaf (bijvoorbeeld van de brandweer of de rijksluchtvaartdienst).

De *reinigingspolitie* (een soort milieupolitie) is in dienst van Gemeente Reiniging.

Stadswachten zijn geen politiemensen, al krijgen ze daar wel een speciale opleiding van. Ze lopen twee aan twee door de stad en helpen het publiek. Dat heeft een preventieve werking en verhoogt het gevoel van veiligheid bij de burgers.
Bij ongelukken kunnen ze eerste hulp verlenen en als ze een overtreding of misdrijf zien, waarschuwen ze meteen met hun portofoon de politie.

Vrijwillige politie bestaat uit mensen die twee jaar lang een avondopleiding hebben gevolgd en die niet full-time politieagent zijn, maar af en toe assisteren. (Bijvoorbeeld bij voetbalwedstrijden, Sinterklaasoptocht, carnaval.) Ze hebben de bevoegdheid van een agent.

Preventie

Preventie betekent het voorkomen van misdrijven. Dit gebeurt al doordat de politie haar gezicht laat zien: mensen voelen zich bekeken en zien af van snode plannen. Dit noemen we *passieve preventie*: iets gebeurt niet of wordt nagelaten als gevolg van de aanwezigheid van een politieambtenaar.

Actieve preventie houdt in dat een politieambtenaar (preventie-expert) voorlichting geeft. Bijvoorbeeld door een lezing met daarna een discussie op een school. Of door huis aan huis folders te verspreiden over inbraakpreventie (hoe beveilig ik mijn huis?), met aansluitend de mogelijkheid om samen met de agent de onveilige situaties in huis te inventariseren.

Gemeenteveldwachter (1907)

4. Opleiding

In januari 2000 zijn nieuwe opleidingen van start gegaan om het politieonderwijs uit haar *isolement* te halen. Er moest meer uitwisseling met het gewone onderwijs plaatsvinden en het moest makkelijker worden om door te stromen.

De nieuwe opleidingen zijn *duaal*, wat wil zeggen dat werk en leren elkaar afwisselen. Je gaat naar school voor de theorie en werkt daarnaast bij een politiekorps, dat je kunt opvatten als je *leerwerkplaats*.

Behoefte aan personeel

Het politieapparaat functioneert het beste als agenten begrijpen wat er speelt bij de bevolking in het gebied waar zij werken. Dit wil zeggen dat in ieder district andere mensen nodig zijn omdat voor ieder mens, dus ook iedere agent, geldt dat verschillen in achtergrond bepalend zijn voor ideeën over de aanpak van problemen. Zo zijn er bijvoorbeeld in gebieden met veel allochtone bewoners veel politiemensen uit verschillende culturen nodig.

Eisen

Om het beroep van politiefunctionaris goed te kunnen uitoefenen, moet je aan *hoge eisen* voldoen. Je moet een soort *duizendpoot* zijn, van vele markten thuis, omdat je veel moet weten (wetten, regels, procedures en routines) en veel moet kunnen (je geduld bewaren, redelijk blijven, goede conditie hebben). Je moet slim, fit en snel zijn en veel uithoudingsvermogen hebben. Je moet eerlijk en kritisch zijn en goed kunnen kijken naar wat er om je heen gebeurt, ook in moeilijke, onoverzichtelijke situaties. Je moet flexibel, creatief en standvastig zijn en je niet laten meeslepen door je emoties.

Of je geschikt bent voor het politievak wordt bepaald aan de hand van een serieus *onderzoek* op intellectueel (je hersenen), psychologisch (je persoonlijkheid), motorisch (hoe je je beweegt) en medisch (je gezondheid) gebied. Je moet dus zowel een gezond lichaam als een gezonde manier van denken hebben.

Aard van het onderwijs

Omdat politiewerk in de eerste plaats *mensenwerk* is, werken met mensen, staat in het huidige politieonderwijs niet het krukdroog uit je hoofd leren centraal, maar het opdoen van ervaring. Het is de bedoeling om een evenwichtig en vertrouwenwekkend persoon te worden. Of je daarin slaagt heeft onder andere te maken met je bereidheid om aan jezelf te werken.

Op de politieopleiding kom je de volgende gebieden tegen:
* vakinhoudelijk (hoe je je werk uitoefent)
* bestuurlijk (in welk verband je dingen doet en hoe je ze organiseert)
* sociale communicatie (met mensen omgaan)
* leer- en vormgeving (bereidheid om te leren en jezelf te blijven ontwikkelen)

De verschillende opleidingen zijn zo ingericht dat, ook al kom je uit een andere cultuur, iedereen evenveel kans van slagen heeft.

Instroomniveaus

Voor de opleiding politiefunctionaris zijn vijf instroomniveaus:
* assistent politiemedewerker (niveau 2)
  De opleiding duurt anderhalf jaar.
* politiemedewerker (niveau 3)
  De opleiding duurt 3 tot 4 jaar.
* allround politiemedewerker (niveau 4)
  De opleiding duurt 4 jaar.
* politiekundig bachelor (niveau 5)
  Afhankelijk van je vooropleiding duurt de opleiding 3 tot 4 jaar.

- politiekundig master (niveau 6)
  De opleiding duurt 4 jaar.

De eerste drie niveaus vervangen de opleidingen voor surveillant en agent van politie, de laatste twee vervangen de opleiding voor inspecteur.

Selectieprocedure

Om tot de opleiding tot politiefunctionaris te worden toegelaten moet je de Nederlandse nationaliteit bezitten, een bepaalde minimumleeftijd, van onbesproken gedrag zijn (geen strafblad hebben), een goede visus (gezichtsvermogen) hebben en gezond en fit zijn (in goede conditie).
Voldoe je aan deze eisen dan kun je bij een korps solliciteren. Ieder politiekorps is zelf verantwoordelijk voor het werven (aantrekken) en aanstellen (in dienst nemen) van nieuw personeel. Mocht je niet voldoen aan de toelatingseisen, dan kun je eventueel een - door het korps te vergoeden - *schakelopleiding* volgen, tijdens welke je in drie tot zes maanden de kans krijgt om het vereiste instapniveau te halen. Vaak gaat het om tekorten op het gebied van de Nederlandse taal, maatschappijoriëntatie en/of sport.

De selectie om toegelaten te worden, bestaat uit twee delen die in totaal anderhalve dag in beslag nemen.
In het *eerste deel* wordt bekeken of je goed met mensen (sociaal vaardig) en met spanning (stressbestendig) om kunt gaan en hoe je werkinstelling is. Bij de sporttest wordt gelet op uithoudingsvermogen, lenigheid, been-, buik-, arm- en rugkracht en hoogtevrees. Als je nog niet kunt zwemmen, moet je in elk geval vrij zijn van watervrees zodat je het makkelijk kunt leren.
In het *tweede deel* wordt dieper ingegaan op wie je bent en krijg je een persoonlijk interview met een psycholoog en een praktijkproef (in een gespeelde situatie laten zien hoe je die aanpakt.)

Instituten

Om voor betere integratie (opnemen in een groter geheel) te zorgen, worden de opleidingen niet meer alleen gegeven op Politie Opleidings Centra en de Nederlandse Politie Academie, maar ook op het regulier onderwijs zoals hbo-instellingen of universiteiten.

Leerweg

Omdat politiewerk een vak voor doeners is, worden school en praktijk afgewisseld: na een paar maanden onderwijs leg je je eerste proeve van bekwaamheid af (wat je kunt). Daarvoor krijg je een certificaat (getuigschrift). Je bekwaamheid en bevoegdheid (wat je wettelijk mag doen) groeien gestaag in de loop van je opleiding.

Specialisaties

Wie al bij de politie werkt, maar daarin verder wil (zich specialiseren) kan *aanvullende opleidingen* of *cursussen* volgen. Hij kan hiertoe zelf een verzoek indienen, voorgedragen worden door zijn korps, of door het KLPD worden gerekruteerd (opgeroepen).

Voor wie meer wil weten over de opleiding tot politieambtcnaar zijn er folders, brochures, films en andere voorlichtingsmiddelen verkrijgbaar bij de afdelingen Werving, Personeelsvuurziening of Voorlichting van de Regionale Politiekorpsen.
Ook kun je bellen met de Banenlijn Politie (0800 - 6096) of het Team Landelijke Voorlichting en Werving: 055 - 5392504 of goed rondkijken op beurzen met een stand van de politie (Promoteam Politie). Beurzen zoals de Femina Familiebeurs, Ruim Baan Banenbeurs, Studiemarkt of Voorlichtingsdag Schooldecanen Politieonderwijs.
Verder staan er coupons in tijdschriften en is er een internetsite: www.politie.nl.

5. Een zaak (Casus)

Strafbare feiten

Een strafbaar feit plegen betekent dat je iets doet wat bij de wet verboden is. Er wordt onderscheid gemaakt tussen overtredingen en misdrijven.

- wie door rood licht rijdt of wie dronken op straat rondzwalkt, begaat een *overtreding*.
- wie door rood licht rijdt en vervolgens tegen een andere auto aanknalt of een fietser van de sokken rijdt, pleegt een *misdrijf*, net als wie dronken achter het stuur kruipt en op een klas schoolkinderen inrijdt.

Het verschil tussen overtreding en misdrijf zit hem in het gevaar dat je voor medemensen oplevert. De wet overtreden is al niet in de haak en je maakt het nog een graadje erger door met je gedrag je medemensen in gevaar te brengen.

Het is de taak van de politie om zowel in geval van overtreding als van misdrijf precies uit te zoeken wat er is gebeurd. Dit noemen we *onderzoeksplicht*.

Casus is een ander woord voor zaak: een te onderzoeken situatie of gebeurtenis.

Dit kan van alles zijn: kinderen die dieren slaan (dierenmishandeling), een bushokje waar de ruiten uit getikt zijn (vernieling), snoeiharde muziek in een dichtbevolkte woonwijk (geluidsoverlast), hoog opgewaaid afval tussen struiken in een plantsoen (zwerfvuil), een meisje dat met een extra truitje onder het hare een kledingzaak uitloopt zonder daarvoor te betalen (winkeldiefstal), een geïrriteerde automobilist die woedend op een gestruikelde skater inbeukt (mishandeling), een stoere boy die met een mes loopt te zwaaien (bedreiging), een vrachtwagen die over een stoep rijdt en daarbij een vrouw met kinderwagen raakt (aanrijding), buren die elkaar de hersens inslaan (burenruzie), een junk die mensen lastigvalt door om geld te vragen (bedelen), een groep stoere jongens die een meisje belagen (aanranding).

Wie een verdachte situatie opmerkt, kan *aangifte* doen door naar de politie bellen om te vertellen wat er aan de hand is. De beller wordt doorverbonden met het hart van het bedrijf, de *centrale meldkamer*, die dag en nacht bereikbaar is. De mensen in de meldkamer beoordelen de ernst van de situatie en nemen een beslissing: moet er snel worden gehandeld of kan de melding in de wachtrij. (Op sommige plaatsen doen zich tegelijkertijd zoveel zaken voor dat een keuze gemaakt moet worden wat het eerst behandeld wordt.) Als er sprake is van *verdenking* wordt het systeem in werking gesteld: bij *een alarmsituatie* wordt er direct een politie- of surveillancewagen op afgestuurd. Bij een ongeluk worden ook brandweer en ambulance ingeschakeld. Politiever-sterking wordt opgeroepen via de portofoon in de politiewagen. Zo nodig worden ook andere instanties gewaarschuwd (geestelijke gezondheidszorg, gijzelingsspecialisten.)

De *verdachte*, degene van wie men denkt dat hij de overtreding heeft begaan of het misdrijf heeft gepleegd, wordt meegenomen naar het politiebureau. Daar maakt hij zijn zakken leeg en wordt hij *gefouilleerd* om te controleren of hij niets achterhoudt. Dan wordt hij zo snel mogelijk voorgeleid voor een *officier van justitie* (de baas van de politie).

De officier van justitie vraagt of de verdachte de reden van het oppakken weet (zijn kant van het verhaal). Hij vertelt erbij dat de verdachte geen antwoord hoeft te geven op zijn vragen omdat ieder mens, dus ook een misdadiger, recht heeft op *privacy* (vrijheid; je eigen privé-sfeer waar niemand iets mee te maken heeft). Een verdachte mag nooit tot een antwoord worden gedwongen, met andere woorden: een politieambtenaar mag nooit geweld gebruiken om informatie te verkrijgen.

Dit vragen en antwoorden noemen we *verhoor*, waarvoor de officier 6 uur de tijd heeft. (De uren tussen 12 uur 's nachts en 9 uur 's morgens tellen niet mee.) Ook de betrokken politieagenten mogen vertellen wat ze weten. Alles wat zij zeggen wordt samen met de verklaring van de arrestant op papier gezet. Dit verslag (de *verklaring*) moet door alle betrokkenen worden ondertekend.

De verdachte komt voorlopig in een *arrestantencel* terecht. Als hij niet wordt verdacht van een zwaar misdrijf (zoals moord) mag hij na maximaal 6 uur gaan.
De vermoedelijke pleger van een zwaar misdrijf mag maximaal 3 dagen worden vastgehouden. Wil de officier van justitie dat hij/zij langer wordt vastgehouden (bijvoorbeeld als nog niet duidelijk is wat er precies is gebeurd, met welk wapen de moord is gepleegd) dan moet hij daarvoor de rechter om toestemming vragen.

Nadat de verdachte op vrije voeten is gesteld, hoort hij van Justitie wanneer hij voor de rechter moet verschijnen. Het is de rechter die uiteindelijk bepaalt of de verdachte schuldig is of niet. De rechter bepaalt tot welke straf de dader wordt veroordeeld. Een rechter kan pas iemand veroordelen als de politie voldoende bewijs tegen die persoon heeft verzameld. Met andere woorden: iedereen is onschuldig tot het tegendeel is bewezen.

Voorbeeld

Als Ju, een jonge Chinese vrouw, op een avond na een bezoek aan een vriendin laat thuiskomt, ziet ze haar man badend in het bloed op het vloerkleed liggen. De hele kamer ligt overhoop. Van schrik schreeuwt Ju de longen uit haar lijf, waarop de buurman aan komt lopen. Als hij ziet wat er is gebeurd, belt hij onmiddellijk de politie. Niet veel later arriveert er een dienstwagen. Als de *agenten* op de *plaats delict* (de plek waar het misdrijf is gepleegd) in één oogopslag zien dat Fong Li, de man van Ju, geen natuurlijke dood is gestorven, bellen zij een *schouwarts* van de GG & GD (Gemeentelijke Geneeskundige en Gezondheids Dienst) die het overlijden officieel moet vaststellen.
De agenten trachten Ju te kalmeren en vragen om versterking omdat naar sporen moet worden gezocht: werk aan de winkel voor de *technische recherche*. Deze mensen gaan op zoek naar sporen van de dader(s): huidschilfers, vingernagels, draadjes van kleding (jas, trui, broek), bloed, vinger- en/of voetafdrukken, een wapen.

Een *rechercheur* praat met Ju om te horen hoe de situatie was toen zij die avond na het eten van huis ging. Andere rechercheurs bellen aan bij buren en omwonenden in de hoop *getuigen* te vinden.

Op het politiebureau wordt rapport opgemaakt van wat er is gebeurd. Gegevens als de tijd waarop het misdrijf is gemeld, het adres, de aangerichte schade, de manier waarop het is gebeurd, wat er vermist wordt, wie er aangevallen is, zijn allemaal van belang. Dit rapport (*proces-verbaal*) komt in een *dossier* (papierpakket met alle verklaringen en bewijzen) dat naar de *officier van justitie* gaat.

Als het de politie lukt om de moordenaar van Fong Li te arresteren, is haar werk afgelopen. Alle verzamelde gegevens gaan naar de rechter.

In de rechtszaal eist tijdens een rechtszitting de officier van justitie de straf, maar het is de rechter die de strafmaat bepaalt. Straffen in Nederland bestaan uit geldboetes en/of gevangenisstraf.
Let op: het is dus niet de politie die straf geeft, maar de rechter uit hoofde van de rechterlijke macht.

Bureau HALT

HALT is de naam van een stichting waarin politie, gemeente en justitie samenwerken om de (steeds vaker voorkomende) jeugdcriminaliteit tegen te gaan en te verminderen.
Onder jeugdcriminaliteit worden verschillende vormen van vandalisme verstaan zoals het slopen of bekladden van bushokjes en telefooncellen, vernielingen op straat of in openbare gebouwen.
Of het nou uit verveling of baldadigheid gebeurt, doet er niet toe; je hebt met je vingers van andermans spullen af te blijven.
Wanneer je door de politie bent opgepakt, kun je in plaats van voor de rechter te moeten verschijnen, naar een 'HALT-bureau'

worden gestuurd. De mensen van HALT spreken alternatieve regelingen met je af. In plaats van een boete te moeten betalen word je aan het werk gezet; je gaat in je vrije tijd karweitjes doen. Logisch is dat hoe meer straf je verdient, hoe langer je voor HALT moet werken. In het ergste geval werk je 20 uur in totaal. Natuurlijk moet je de eventuele schade die je hebt aangericht, vergoeden, maar ook daarbij staan de mensen van HALT je met advies terzijde.

De wet geeft precies aan wie wel en wie niet in aanmerking komt voor regelingen via bureau HALT.
Alle ernstige zaken gaan door naar de officier van justitie. Regelingen via HALT gelden alleen voor minder ernstige vergrijpen: een blinde muur volgekladderd, een ruitje ingetikt, een blikje bier gestolen.
Het gestolene mag niet meer waard zijn dan €125,-, de aangerichte schade mag niet meer zijn dan €700,-.
Wie voor de tweede keer binnen een jaar de fout in gaat, krijgt onherroepelijk met de jeugdpolitie te maken.

Een ander voorbeeld

'4980,' klinkt een stem uit de portofoon. De agenten spitsen hun oren. *'Wilt u naar het kruispunt Nieuweweg/Veldheimweg gaan? Er is een aanrijding met letsel gemeld. Een ambulance is onderweg.'*
Als op straat een ongeluk is gebeurd, komt de politie in actie. Agenten leiden het verkeer om en regelen een takelwagen om de overlast zo kort mogelijk te laten duren. De plek waar het ongeluk is gebeurd, wordt afgezet met rood-wit plastic lint; er worden stickers geplakt en op belangrijke punten nummertjes geplaatst. Niemand mag ergens aankomen om te voorkomen dat sporen worden uitgewist of er nieuwe (valse!) sporen bij komen. (Zo strikken de onderzoekers bijvoorbeeld hun veters onder de zool van hun schoenen of doen er elastiekjes om waardoor ze heel rare

voetsporen maken. Dat maakt duidelijk dat het om voetsporen van politiespeurders gaat.)

Kentekens en namen van de betrokken bestuurders (*getuigen*) worden genoteerd. Rijbewijzen en autopapieren worden gecontroleerd en er wordt getracht te achterhalen hoe het ongeluk precies is gebeurd. De remsporen van de auto's worden opgemeten (om te zien hoe hard er is gereden). De bestuurders vertellen hun verhaal (*getuigenverklaringen*), waarvan de agenten samen met andere *ooggetuigenverslagen* (mensen die het ongeluk hebben zien gebeuren en erover kunnen vertellen) een verslag maken, het *proces-verbaal*.

De auto's worden meegenomen naar een garage voor een *technisch onderzoek* (controleren of ze wel in orde waren). Misschien werkten de remmen niet goed of waren er andere mankementen aan het systeem.

De werkelijkheid

Helaas is er niet genoeg mankracht om alle misdrijven te behandelen: in Nederland wordt slechts 15% van de misdrijven opgelost. In ons buurland Duitsland, waar ze evenveel politiemensen hebben, is dat drie keer zoveel: 45%. Daar zetten ze namelijk veel meer mensen in bij de recherche. Ook hoeven de Duitse politiemensen lang niet zoveel bureauwerk te doen; ze geven veel minder voorlichting op scholen en doen weinig aan preventie tegen inbraak bij mensen thuis.

Het is beter als ook in Nederland de politie meer terug zou gaan naar haar kerntaken (het verhogen van de veiligheid en het oplossen van misdrijven) en de neventaken zou overlaten aan anderen: rapportage en administratie door secretaresses, voorlichting op scholen in de vorm van lespakketten, inbraakpreventie door verzekeringsmensen.

Woorden en begrippen

Aangifte, het melden van een overtreding of misdrijf bij de politie

Bekentenis afleggen, toegeven dat je iets hebt gedaan, je schuldig hebt gemaakt aan een strafbaar feit

Brigadier, eerste rang bij de politie na die van hoofdagent

Commissaris, rang bij de politie, tussen hoofdinspecteur en hoofdcommissaris in

Criminaliteit, strafbaar gedrag, alle misdrijven bij elkaar

Delict, strafbaar feit

Fouilleren, iemand onderzoeken/betasten ter controle op wapens of drugs

Getuige, iemand die bij een gebeurtenis aanwezig is geweest en die kan navertellen wat hij/zij heeft gezien en/of gehoord

HALT, instelling die jongeren de kans geeft om geen strafblad te krijgen

Heler, iemand die gestolen spullen opkoopt

Hiërarchie, ambtelijke rangorde

Hoofdcommissaris, hoogste rang bij de politie

Hoofdinspecteur, rang bij de politie, tussen inspecteur en commissaris in

Illegaal, onwettig

Incident, gebeurtenis waardoor de politie in actie moet komen

Inspecteur, rang bij de politie, tussen brigadier en hoofdinspecteur in

Meldkamer of *alarmcentrale,* plek op het politiebureau waar alle meldingen binnenkomen, van gewone burgers maar ook van agenten

Misdrijf, het overtreden van de wet met gevaar voor medemensen

Mobiele Eenheid, speciaal getrainde agenten die optreden waar veel mensen bij elkaar zijn

Officier van justitie, iemand die leidinggeeft aan politie en recherche en in het openbaar aanklaagt

Op heterdaad betrapt, een misdadiger wordt op het moment dat hij een misdrijf pleegt, gadegeslagen door een getuige

Overtreding, de wet overtreden zonder dat dat gevaar voor de medemens oplevert

Plaats delict, de plaats waar een misdrijf is gepleegd

Preventie, maatregelen om nare dingen te voorkomen

Politie, het apparaat dat belast is met de zorg voor openbare orde en veiligheid, alsmede de opsporing van strafbare feiten

Proces-verbaal, een door een agent geschreven verslag of rapport over een overtreding of misdrijf

Recherche, opsporingsdienst van de politie. Leden hiervan dragen meestal geen uniform

Reclassering, organisatie die ontslagen gevangenen goed leert omgaan met de maatschappij

Signalement, persoonsbeschrijving, hoe iemand eruit ziet

Strafbaar feit, ook wel *vergrijp* of *delict* genoemd: iets doen wat bij de wet verboden is of iets nalaten wat bij de wet verplicht is. Er zijn 2 soorten strafbare feiten:
- *overtredingen,* een niet zo ernstig strafbaar feit
- *misdrijven,* ernstig strafbaar feit

Strafblad, officiële lijst waarop staat welke misdrijven iemand heeft gepleegd

Surveilleren, toezicht houden, bewaken

Technische recherche, politiemensen die zich bezig houden met sporenonderzoek

Vandalisme, het uit verveling of baldadigheid vernielen van objecten/zaken op straat of in openbare gebouwen

Verdachte, iemand van wie men vermoedt dat hij zich schuldig heeft gemaakt aan het plegen van een overtreding of misdrijf

Verdacht persoon, iemand die op het punt staat iets strafbaars te doen of dit zojuist heeft gedaan

Nog meer informatie:

Vrouwen van kaliber. Nelleke Manneke. Apeldoorn, Nederlands
Politie Museum, 1998.
ISBN 90 75851 03 0.

Politie. Joep Malestein. Amsterdam, Versluys, 1978.
ISBN 90 249 1064 1.

Politie. Dorieneke de Vries-Sytsma. Kampen, Kok, 1984.
ISBN 90 242 2578 7.

Werken…. bij de politie. Bert Huizing. Gorinchem,
De Ruiter, 1983.
ISBN 90 05 50003 4.

De politie in Nederland: opboksen tegen misdaad en geweld.
Bert Bommel. Amsterdam, Balans, 2003.
ISBN 90 5018 619 X.

Nederlands Politie Museum. Arnhemseweg 364, Apeldoorn,
tel. 055 – 530691. Geopend van dinsdag t/m vrijdag van 10.00 –
17.00 uur; zaterdag en zondag van 13.00 – 17.00 uur.

Tijdschriften:

Politie Magazine (nieuws en opinieblad)
APB Algemeen Politieblad (vakblad)
Het tijdschrift voor de Politie (bestuurlijke, op de praktijk gerich-
te artikelen)
Dien (vrouwen bij de politie, brandweer, defensie en douane)
Modus (vaktijdschrift over recherche en forensische wetenschap-
pen (te maken hebbend met wettelijke en gerechtelijke aspecten)).

Bronnen voor dit boekje:

Het politieboek. Willem Erné. Amsterdam, Ploegsma, 1996.
ISBN 90 216 1209 7.

Informatiegids over het werk van en bij de politie.
Apeldoorn, Instituut voor Werving en Selectie Politie, 2001.

Korps Rijkspolitie 1945-1994. J.A. de Jonge. Stichting Het
Nederlands Politiemuseum. Schiedam, Scriptum, 1993.
ISBN 90 71542 68 8.

Neem nooit een advocaat. Interview met mr. Joan de Wijkerslooth
in Opzij nr. 6 juni 2003.

Openbare orde en veiligheid. Eindredactie A. Vroegindewey.
Uit de serie Beroep en werk. Landelijk Dienstverlenend Centrum
voor Studie- en Beroepskeuzevoorlichting, 1994.
ISBN 90 73754 33 X.

Politie. Profiel. Bijlage van het NRC Handelsblad van 16 oktober
1997.

Politiewerk. Jan-Willem Driessen. Wolters-Noordhoff, 2002.
ISBN 90 01 13241 3.

Speurders van de politie. Annemarie Bon. Wolters-Noordhoff,
2000.
ISBN 90 01 14530 2.

t' Uwen dienst. Frank van Riet. Schiedam, Scriptum Books, 1995.
ISBN 90 5594 037 2.

www.politie.nl.